Tywod

C000005010

www.peniarth.cymru

Testun: Non ap Emlyn, 2018
© Delweddau: Canolfan Peniarth, Prifysgol Cymru Y Drindod Dewi Sant, 2018

Golygyddion: Lowri Lloyd ac Eleri Jenkins

Dyluniwyd gan Rhiannon Sparks

© Lluniau: Shutterstock.com. t.4 Realimage / Alamy Stock Photo. t.5 graham bell / Alamy Stock Photo. t.6 Julian Cartwright / Alamy Stock Photo. t.17 Xinhua / Alamy Stock Photo

Cyhoeddwyd yn 2018 gan Ganolfan Peniarth

Mae Prifysgol Cymru Y Drindod Dewi Sant yn datgan ei hawl moesol dan Ddeddf Hawlfraint, Dyluniadau a Phatentau 1988 i gael ei hadnabod fel awdur a dylunydd y gwaith yn ôl eu trefn.

Cedwir pob hawl gan yr awdur unigol. Ni chaniateir atgynhyrchu unrhyw ran o'r cyhoeddiad na'i gadw mewn cyfundrefn adferadwy na'i drosglwyddo mewn unrhyw ddull na thrwy unrhyw gyfrwng electronig, electrostatig, tâp magnetig, mecanyddol, llungopïo, recordio, nac fel arall, heb ganiatâd yn ysgrifenedig ymlaen llaw gan y cyhoeddwyr uchod.

Wyt ti'n gwybod?

Cynnwys

Mwynhau

Mae plant yn mwynhau chwarae yn y tywod yn yr ysgol.

rhidyll

rhaca

rhaw

bwced

dŵr

rhoi tywod yn y rhidyll

gwneud castell tywod

defnyddio'r rhaca yn y tywod

Mae plant yn mwynhau chwarae
yn y tywod ar y traeth hefyd.

rhaw

bwced

pêl

Traeth

Dyma draeth da. Edrychwch ar y faner las. Mae'r môr yn lân a does dim sbwriel.

4

Dyma draeth gwahanol yn y ddinas. Rhaid cario tywod i'r ddinas i wneud traeth.

yma

Twyni tywod

Edrychwch. Mae'r gwynt wedi chwythu'r tywod i greu twyni tywod mawr.

!
Perygl
Dim chwarae yn y twyni tywod.

8

Mae blodau'n tyfu
yn y twyni tywod.
Pa liw ydyn nhw?

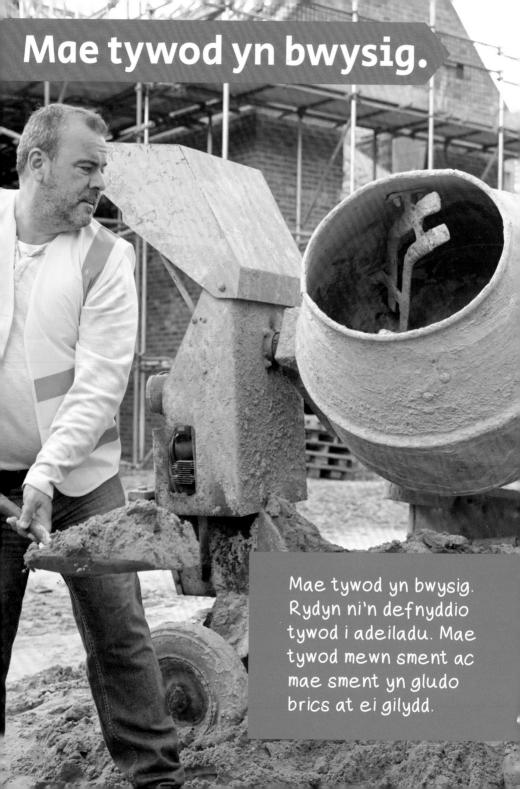

Mae tywod yn bwysig.

Mae tywod yn bwysig. Rydyn ni'n defnyddio tywod i adeiladu. Mae tywod mewn sment ac mae sment yn gludo brics at ei gilydd.

Mae'r tŷ hwn ar ynys Tywysog Edward,
Canada.

Beth maen nhw
wedi ei ddefnyddio
i wneud y waliau?

9

Rydyn ni'n defnyddio
tywod bob dydd.

Mae gwydr wedi cael
ei wneud o dywod.

Maen nhw'n toddi'r tywod ac yna maen nhw'n gwneud siapiau arbennig.

Rydyn ni'n defnyddio tywod wrth chwarae gemau neu ferwi wyau.

Sut?

Mae darnau ar gyfer y cyfrifiadur yn cael eu gwneud o dywod hefyd.

Diffeithdir

Tywod... tywod... tywod!
Mae tywod ym mhob man.
Diffeithdir yw hwn.

14

Mae rhai pobl yn byw yn y diffeithdir. Maen nhw'n byw mewn pebyll ac yn crwydro o le i le ar eu camelod.

15

Weithiau, mae
storm tywod.

17

Mynegai